D0657601

LES **DEVOIRS** ET LES **LEÇONS**

Marie-Claude Béliveau

LES **DEVOIRS** ET LES **LEÇONS**

Éditions du CHU Sainte-Justine

Catalogage avant publication de Bibliothèque et Archives nationales du Québec et Bibliothèque et Archives Canada

Béliveau, Marie-Claude, 1961-

Les devoirs et les leçons

(Questions réponses pour les parents)

Comprend des réf. bibliogr.

ISBN 978-2-89619-152-9

1. Devoirs à la maison - Miscellanées. 2. Éducation - Participation des parents - Miscellanées. 3. Enfants en difficulté d'apprentissage - Éducation - Miscellanées. I. Titre. II. Collection: Questions réponses pour les parents.

LB1048.B44 2009 371.3028'1 C2009-940137-1

Conception graphique: Nicole Tétreault

Photo de la page couverture: Charline Provost

Photos intérieures: Nancy Lessard, Charline Provost

Diffusion-Distribution:

au Québec – Prologue inc.

en France – CEDIF (diffusion) – Daudin (distribution)

en Belgique et au Luxembourg – SDL Caravelle

en Suisse – Servidis S.A.

Éditions du CHU Sainte-Justine

3175, chemin de la Côte-Sainte-Catherine

Montréal (Québec) H3T 1C5

Téléphone: (514) 345-4671 • Télécopieur: (514) 345-4631

www.chu-sainte-justine.org/editions

© Éditions du CHU Sainte-Justine, 2009

Tous droits réservés

ISBN: 978-2-89619-152-9

Dépôt légal: Bibliothèque et Archives nationales du Québec, 2009

Bibliothèque et Archives Canada, 2009

La Fondation de l'Hôpital Sainte-Justine remercie les généreux donateurs qui ont contribué au projet ***UniverSanté des familles*** et qui ont permis de réaliser cette nouvelle collection pour les familles.

Merci d'agir pour l'amour des enfants!

Ce livre s'inspire largement de *Au retour de l'école... La place des parents dans l'apprentissage scolaire* publié par le même auteur aux Éditions du CHU Sainte-Justine.

Sommaire

Parents d'écolier : un rôle à définir

- Quelle est la place des parents dans la vie scolaire de leur enfant et quel rôle doivent-ils jouer ? 11
- Quels leviers les parents peuvent-ils utiliser pour que l'enfant acquière plus d'autonomie au cours de la période des devoirs et des leçons ? 13
- Les devoirs et les leçons ont-ils une utilité ? 14
- Quelles conditions les parents doivent-ils mettre en place pour aider l'enfant à s'engager véritablement dans ses travaux scolaires à la maison ? 16
- Est-il nécessaire d'encadrer de façon très serrée son enfant pour que la période des devoirs et des leçons soit profitable ? 17
- Est-ce à dire que la discipline n'est pas importante au cours de la période des devoirs et des leçons ? 18
- Y a-t-il des enfants qui ont besoin plus que d'autres d'un cadre disciplinaire ? 18

- Que faire pour que la période des devoirs et des leçons ne dégénère pas en « bataille rangée » ? 19
- Les parents doivent-ils tolérer que leur enfant fasse ses devoirs devant le téléviseur ? 20
- Y a-t-il des choses concrètes à faire pour favoriser le bien-être de son enfant durant les travaux scolaires qui se font à la maison ? 22

Aider l'enfant à apprendre

- Encadrer l'enfant de façon très serrée ou de trop près n'étant pas une solution, comment l'aider ? 25
- Les parents sont-ils en mesure d'« apprendre à apprendre » à leur enfant ? 26
- Comment les parents peuvent-ils aider concrètement à « apprendre à apprendre » ? 27
- Quelles sont les principales stratégies d'apprentissage dont l'enfant doit prendre conscience ? 27
- Quels sont les mécanismes que les parents ont tout intérêt à comprendre pour reconnaître les moyens que leur enfant utilise spontanément pour apprendre et ceux qu'il n'utilise pas assez ? 30
- Qu'entend-on par processus simultanés ? 30
- Qu'entend-on à présent par processus séquentiels ? 31
- En définitive, quelle est la façon la plus efficace d'apprendre ? 33

Des enfants aux besoins particuliers

- Face à leurs devoirs, les garçons sont-ils vraiment différents? 35
- Comment aider les garçons à mieux s'engager au moment des travaux scolaires à la maison? 38
- Les filles et les devoirs: est-ce toujours plus facile pour elles? 39
- Comment aider les filles à mieux vivre la période des devoirs et des leçons? 42
- Mon enfant a beaucoup de difficulté à l'école et dans ses travaux scolaires à la maison. Comment savoir s'il a un trouble d'apprentissage? 43
- Quelles peuvent être les conséquences de la présence d'un trouble d'apprentissage tant sur la vie scolaire que sur le développement personnel de l'enfant? 45
- Que faire au cours de la période des devoirs et des leçons comme parents d'un enfant qui a un trouble d'apprentissage? 47
- Les difficultés que vit mon enfant autour de la période des devoirs et des leçons pourraient-elles s'expliquer par un déficit de l'attention ou de l'hyperactivité? 49
- Comment aider l'enfant qui présente un déficit de l'attention avec ou sans hyperactivité à faire ses devoirs? 51

▸ À quoi peut-on s'attendre comme aide de la part de l'école si mon enfant présente des difficultés d'apprentissage ?........................... 55

Des questions fréquemment posées

▸ Son enseignant étant reconnu pour donner beaucoup de devoirs, mon enfant passe souvent de deux à trois heures par soir à les faire. Comment sortir de cette impasse ?..... 57

▸ L'enseignante demande régulièrement à mon fils de terminer le soir, à la maison, ce qu'il n'a pas fini dans la journée, en plus de ses devoirs. Est-ce normal ? 57

▸ Si les devoirs sont donnés le vendredi pour toute la semaine à venir, est-ce qu'il est bon que mon enfant les fasse tous au cours du week-end pour s'en débarrasser ? 58

▸ Nous revenons du travail à 18 heures et la course commence : le repas à préparer, les devoirs de la plus jeune qui est en première année, les bains, etc. Comment trouver du temps pour aider mon enfant qui est en quatrième année et qui réclame constamment ma présence ? 58

▸ Mon fils a des difficultés d'apprentissage qui compliquent la période de devoirs et de leçons. Ma fille, qui elle a toujours bien réussi à l'école, passe régulièrement des commentaires désobligeants sur son frère, ce qui le décourage et engendre de grandes tensions à la maison. Que puis-je faire ? 59

- Mon enfant omet très souvent de noter ce qu'il a à faire, si bien qu'on ne sait pas toujours quels sont ses devoirs et ses leçons. Comment réagir ? 60
- Mon enfant déteste l'école et il n'y apprend pas grand-chose. En fin de première année, il ne sait pas encore réciter l'alphabet. Je pense sérieusement à le scolariser à la maison. Est-ce une solution ? 63
- Devant une difficulté, un de mes enfants reste bloqué et attend mon aide sans rien tenter d'autre pour se débrouiller seul. Avec trois enfants d'âge scolaire, j'ai du mal à répondre aux demandes de chacun. Comment l'encourager à devenir plus autonome ? 64
- Mon fils a des difficultés depuis son entrée à l'école. Cette année, il change d'école. Est-ce une bonne idée de prévenir sa nouvelle enseignante avant le début de l'année et de lui remettre aussi les rapports d'évaluation qui le concernent ? 64
- J'ai laissé mon enfant retourner à l'école avec des devoirs inachevés afin d'éviter que la maison ne devienne un champ de bataille et pour qu'il assume les conséquences de son « laisser-aller ». Qu'est-ce que l'enseignant va penser de moi comme parent ? ... 65
- Ma fille de 12 ans étudie très peu à la maison, prétextant qu'elle a tout le temps qu'il faut à l'école pour le faire. Devrais-je l'obliger à réviser ? 67

Des réponses à des questions d'enfants

- À quoi ça sert de faire mes devoirs si le professeur ne les corrige même pas ! 69
- Pourquoi m'obliger à lire si je n'aime pas ça ? 70
- Pourquoi ne puis-je pas écrire au son si tout le monde comprend quand même ce que j'écris ? 72
- Pourquoi mon ami doit-il prendre du Ritalin® s'il n'est même pas « tannant » ? 73

Pour en savoir plus… 75

Parents d'écolier : un rôle à définir

▸ Quelle est la place des parents dans la vie scolaire de leur enfant et quel rôle doivent-ils jouer ?

Quelle place prendre dans la vie scolaire de son enfant ? Comment l'aider ou, à tout le moins, ne pas lui nuire dans ses travaux scolaires ? Comment s'engager « autour » du sac d'école sans se retrouver pris « dans » le sac, condamné à devoir user de son autorité pour que se terminent enfin les fameux travaux scolaires ? En effet, à un moment ou à un autre, les devoirs et les leçons peuvent devenir un élément déclencheur de tensions et parfois même de conflits au sein de la famille. Trouver sa juste place comme parent accompagnateur de la vie scolaire de son enfant n'est pas chose facile. Plus que la quantité, c'est surtout la qualité de la présence du parent qui permet ou qui favorise chez l'enfant l'envie d'apprendre, facteur déterminant de la réussite scolaire.

De nombreux parents déplorent les conflits engendrés par les travaux scolaires alors qu'ils font tout, pensent-ils, pour aider l'enfant. Ils en font justement un peu trop parfois. Ils risquent ainsi de soulever de l'opposition et d'empêcher l'émergence de l'autonomie qui est essentielle au développement. Il est pourtant possible d'accompagner l'enfant dans son parcours scolaire sans se retrouver au cœur d'un champ de bataille. Lorsqu'ils se retrouvent dans cette situation, les parents baissent souvent les bras et empruntent la seule issue possible pour retrouver la paix : faire à la place de l'enfant. Amener l'enfant à se

La juste place n'est pas celle que l'on croit... Il faut éviter le plus possible de s'asseoir à côté de l'enfant pour faire « ses » devoirs.

prendre en main dans ses travaux scolaires demande de la part des parents un investissement de temps et une remise en question importante de leur approche éducative. Toutefois, l'expérience montre que cette voie est beaucoup plus profitable à long terme pour tout le monde. La situation devient alors plus agréable et les apprentissages peuvent redevenir une source de satisfaction réelle pour l'enfant comme pour ses parents. En résumé, on peut dire qu'il faut faire « autrement » plutôt que faire « plus ». Voilà une façon différente de concevoir le rôle que les parents peuvent exercer. En intégrant les apprentissages scolaires à la vie de tous les jours, les parents aident leur enfant à y trouver un sens, une utilité et même du plaisir. Il est donc essentiel que les parents évitent le rôle d'enseignant-substitut à la maison. En général, cette position n'entraîne que des grincements de dents d'un côté comme de l'autre.

Les parents ont un rôle à jouer beaucoup plus large que celui de faire faire ses devoirs à l'enfant et de lui faire répéter ses leçons. Ils doivent l'aider à ouvrir ses horizons, à utiliser le quotidien pour apprendre à se connaître, à se débrouiller, à se dépasser et à apprendre.

Quels leviers les parents peuvent-ils utiliser pour que l'enfant acquière plus d'autonomie au cours de la période des devoirs et des leçons ?

Les parents devraient d'abord encourager l'enfant à :

- découvrir ses propres façons d'apprendre ;
- planifier ses actions avant de commencer ;
- rechercher ses propres solutions ;
- mettre au point différentes façons d'apprendre ;

- vérifier son travail lorsqu'il a terminé ;
- faire des liens entre ses connaissances ;
- prendre conscience de ses forces et de ses points faibles.

Cette façon de faire est à notre avis la seule qui lui permettra d'acquérir le sentiment d'avoir un certain pouvoir sur ses habiletés d'apprentissage. Au fil des pages, nous reviendrons sur chacun de ces aspects de la question.

Les devoirs et les leçons ont-ils une utilité ?

Les devoirs et les leçons trouvent surtout leur utilité lorsqu'ils sont donnés dans le but de faire réviser des notions vues pendant la journée et de créer des automatismes chez l'enfant. En effet, tout geste automatique permet une économie d'énergie qui peut être utile ailleurs. Quand un enfant a appris les règles à appliquer de façon automatique ou qu'il a acquis des méthodes, il peut alors se concentrer sur d'autres aspects du problème et effectuer un vrai travail de réflexion qui permet habituellement l'intégration de la notion au reste des connaissances. Un devoir « utile » à l'enfant doit aussi comporter une difficulté surmontable, c'est-à-dire à sa portée, tout en représentant pour lui un défi véritable. L'atteinte de l'objectif et, conséquemment, la réussite de l'exercice ne procurent à l'enfant un sentiment de compétence que lorsque cette double condition est remplie.

Les leçons ont aussi pour objectif l'acquisition d'automatismes et l'intégration de connaissances. Par ailleurs, elles visent, plus que les devoirs, la mémorisation de savoirs. L'étude des leçons fait appel à des processus mentaux plus complexes ; en effet, l'enfant, pour être efficace, doit mettre en œuvre des stratégies diversifiées et adaptées à la leçon elle-même, en plus de s'engager dans une activité mentale active et volontaire. Pour sa part, le devoir est souvent exécuté sans que l'enfant fournisse un aussi grand effort mental et, dans ce sens, il devient théoriquement plus facile à faire de façon autonome.

Saviez-vous que...

Certaines connaissances sont utiles à l'enfant qui débute sa scolarité :

- la date et le lieu de sa naissance ;
- son adresse et son numéro de téléphone ;
- les jours de la semaine, les mois de l'année, les saisons, les dates des fêtes annuelles ;
- lire l'heure sur des cadrans numériques ou analogiques ;
- des notions temporelles et spatiales : aujourd'hui, hier, demain, avant-hier, après-demain, dessus, dessous, devant, derrière, à droite, à gauche, à travers, etc. ;
- identifier les pièces de monnaie ;
- les liens de parenté qui existent entre les gens ;
- les métiers, les actions et les outils qui s'y rapportent ;
- les services communautaires (hôpital, magasin d'alimentation, bibliothèque, bureau de poste, etc.).

Quelles conditions les parents doivent-ils mettre en place pour aider l'enfant à s'engager véritablement dans ses travaux scolaires à la maison ?

Les parents doivent impérativement **établir un climat propice** qui favorise l'engagement de l'enfant dans ses travaux scolaires. Pour établir ce climat, certains principes doivent être suivis. En voici quelques-uns.

- **Permettre à l'enfant de s'engager dans tous les aspects de sa vie scolaire**, incluant les devoirs et les leçons. Pour cela, les parents doivent le plus possible faire abstraction de leurs propres perceptions sur l'école ainsi que de leurs expériences scolaires.
- **Déléguer son autorité parentale à l'enseignant**, ne pas se substituer à lui au moment des devoirs et leçons.
- **S'intéresser à la vie scolaire de l'enfant,** mais sans l'envahir, sans exercer un contrôle excessif et sans imposer ses façons de faire.
- Faire confiance au potentiel d'adaptation de l'enfant, aux ressources étonnantes qu'il possède, très souvent grâce à l'éducation qu'ils lui ont donnée au cours de la période préscolaire. Les parents doivent notamment prendre le temps de nommer ce qui va bien chez l'enfant et non seulement ce qui ne va pas. Il convient également de lui rappeler ses succès antérieurs afin qu'il puisse prendre appui sur eux.
- **Être disponible**, de corps et d'esprit, sans pour autant s'asseoir à côté de l'enfant pendant qu'il fait ses travaux scolaires. Par ailleurs, lui offrir un

moment de qualité au cours duquel on saura mettre de côté soucis et préoccupations permettra de faire « autre chose » une fois ceux-ci terminés.

Est-il nécessaire d'encadrer de façon très serrée son enfant pour que la période des devoirs et des leçons soit profitable ?

Il faut, tout au contraire, **favoriser son autonomie**, l'encourager à prendre des initiatives, à se débrouiller seul tant qu'il le peut, à s'organiser, à le laisser contrôler le plus possible sa façon de s'organiser et de faire les choses après l'avoir aidé à réfléchir et à planifier son action. En ce sens, les parents doivent **respecter une juste distance** (ni trop près, ni trop loin), c'est-à-dire se rendre disponible pour répondre à l'enfant en cas de besoin. Le soutien des parents aux devoirs de l'enfant peut donc se limiter à une supervision à distance, celle-ci variant selon l'âge de l'enfant. Ainsi, en première année, l'enfant a besoin de sentir ses parents à ses côtés ; par la suite, on doit lui demander de faire seul ce qu'il est capable de faire seul et l'encourager à ne demander de l'aide qu'au besoin. À cela s'ajoutent quelques interventions ponctuelles pour aider l'enfant à se replacer dans le contexte de la tâche et pour l'encourager à utiliser des stratégies efficaces.

Saviez-vous que...

L'entrée à l'école représente parfois une première véritable séparation pour l'enfant comme pour les parents.

▸ Est-ce à dire que la discipline n'est pas importante au cours de la période des devoirs et des leçons?

Il est toujours important d'imposer une discipline de base aux enfants, et cela dès leur plus jeune âge et dans tous les domaines. Il s'agit de quelque chose d'essentiel si on veut leur permettre d'apprendre à l'école comme à la maison et de se « soumettre » à des règles sans qu'ils les vivent comme des abus d'autorité dont il faut se défendre. Ces règles, lorsqu'elles sont **claires, constantes et cohérentes**, et lorsqu'on a pris le temps d'en expliquer la raison d'être, sont le cadre à l'intérieur duquel l'enfant peut prendre des initiatives et s'affirmer.

En les maintenant avec fermeté lorsque l'enfant tente de mettre les convictions de ses parents à l'épreuve, on lui fournit un cadre sécurisant auquel il adhérera au fil du temps. Cela permet d'éviter de nombreux conflits quand vient le temps de se soumettre aux exigences imposées autour des devoirs et leçons à faire le soir à la maison.

▸ Y a-t-il des enfants qui ont besoin plus que d'autres d'un cadre disciplinaire?

Pour les enfants hyperactifs, l'établissement de règles simples et claires à la maison est d'autant plus important qu'elles déterminent leur capacité à s'engager à l'école et ailleurs dans la société malgré leur vulnérabilité. Il existe une différence importante entre un enfant hyperactif qui fait des efforts pour contrôler son impulsivité et se conformer aux attentes des adultes, parents et enseignant, et celui qui défie les règles systématiquement parce qu'il ne les tolère pas faute de ne pas avoir appris à s'y conformer à la maison. Dans ce dernier cas, le moindre petit écart de conduite est remarqué, d'où un profond sentiment d'injustice qui se juxtapose chez l'enfant aux problèmes déjà existants.

Sous prétexte d'éviter à leur enfant le « contrôle » qu'ils ont eux-mêmes subi étant enfants, certains parents oublient de se faire respecter et cèdent à ses moindres caprices, y compris au cours de la période des travaux scolaires. Après avoir dit non à un désir exprimé par leur enfant (faire ses devoirs en regardant la télévision, par exemple), ils reviennent sur leur décision, lui apprenant ainsi la force de son pouvoir de négociation dont il ne manquera plus de se servir. Personne ne pourra éviter délais et frustrations à cet enfant devenu roi. Apprendre à l'enfant à respecter les règles établies, à tolérer la frustration, à accepter un délai dans la satisfaction de ses désirs, c'est aussi apprendre à établir et à maintenir ses propres limites comme parent. Il s'agit ici d'agir en accord avec soi-même et de s'octroyer le droit de dire non quand la conscience parentale le dicte.

▸ Que faire pour que la période des devoirs et des leçons ne dégénère pas en « bataille rangée » ?

En premier lieu, il importe d'éviter les conflits, de ne pas permettre que la période des travaux scolaires devienne un véritable champ de bataille. La seule façon d'y arriver consiste à redonner une bonne part du pouvoir à l'enfant en l'encourageant à prendre ses responsabilités. L'heure des travaux scolaires ne doit pas devenir un cauchemar qui perturbe les relations familiales. Le rôle des parents est surtout de mettre en place des conditions favorables à la bonne marche des travaux scolaires à la maison. L'ambiance qui règne autour de cette période a un effet immédiat sur le plaisir que vit l'enfant et, par conséquent, sur sa motivation, sa concentration, sa mémoire, ses capacités de compréhension, sa confiance en lui.

Le plaisir de l'enfant ! Comment entretenir son plaisir d'apprendre ? En général, tous les jeunes enfants ressentent du plaisir à apprendre. Mais il arrive que le plaisir s'étiole au fil des ans, parfois parce qu'ils ont de réelles difficultés d'apprentissage, mais parfois aussi à cause de l'attitude de certains parents qui poussent constamment l'enfant à en faire plus, ou qui l'étouffent en voulant tout contrôler ou qui devancent trop souvent ses désirs. Encore une fois, les parents doivent avoir une juste compréhension du rôle qu'ils jouent auprès de l'enfant durant les travaux scolaires. Les parents ont un rôle à jouer beaucoup plus large que celui de faire répéter les leçons à l'enfant. Notons à nouveau qu'ils l'aident à ouvrir ses horizons, à utiliser le quotidien pour apprendre à se connaître, à se débrouiller, à se dépasser et à apprendre. L'objectif n'est pas tant que les devoirs soient faits et que les leçons soient sues, bien que cela aussi soit important, mais c'est de faire en sorte que la qualité de l'engagement de l'enfant à l'école permette des apprentissages qui deviendront signifiants au point que les devoirs et les leçons puissent se faire spontanément.

▸ Les parents doivent-ils tolérer que leur enfant fasse ses devoirs devant le téléviseur ?

La réponse est négative. Même si certains exercices peuvent se faire en dépit d'une source de distraction, votre enfant doit comprendre qu'il existe un temps pour chaque chose et que tout travail, même s'il est facile, mérite d'être bien fait. C'est là une valeur qui lui sera utile toute sa vie. Par ailleurs, si l'enfant est un fanatique des émissions de télévision, il n'a qu'à choisir celle qu'il veut regarder et planifier l'heure de ses travaux scolaires en conséquence, établissant ainsi un équilibre entre ses responsabilités scolaires et ce loisir.

Saviez-vous que...

Les pédiatres s'entendent généralement pour recommander que l'enfant passe un maximum de 7 heures par semaine devant le petit écran, quel qu'il soit (téléviseur, ordinateur, jeux électroniques...). En effet, l'abus limite la capacité de concentration de l'enfant à long terme.

▸ Y a-t-il des choses concrètes à faire pour favoriser le bien-être de son enfant durant les travaux scolaires qui se font à la maison ?

Oui, en lui fournissant d'abord un **espace approprié**, calme et bien éclairé. On peut adopter une attitude plus souple pour le choix de l'endroit où il fait ses lectures. Plusieurs enfants adorent lire dans leur lit, surtout si ça leur permet de repousser un peu l'heure du coucher ; c'est un bon incitatif à la lecture et une bonne habitude à prendre.

Par ailleurs, il faut aussi **limiter la période des devoirs** à un laps de temps convenable ; l'enseignant peut vous donner une idée de la période d'étude nécessaire pour accomplir les tâches demandées. Ce n'est donc pas le rôle des parents d'ajouter des devoirs pour consolider certains objectifs qu'ils estiment mal atteints. Cette façon d'agir entraîne toujours des réactions d'opposition. À ce sujet, il peut être judicieux de fournir à l'enfant un cadran qui sonne dès la fin de la période de temps convenue entre l'enfant, le parent et l'enseignant. Par la suite, l'enfant qui n'a pas terminé ses travaux doit tout ranger et vivre les conséquences de sa « passivité » s'il y a lieu. Il est préférable d'avertir l'enseignant lorsqu'on adopte de telles mesures afin que celui-ci puisse planifier des conséquences adéquates. De plus, il faut expliquer à l'enfant qu'avec cette façon de procéder, il reste du temps pour faire un peu de lecture dans un livre de son choix ou faire quelque chose d'autre avec ses parents.

Enfin, il faut donner à l'enfant **un choix à faire**, même s'il s'agit d'un faux choix, afin d'éviter d'argumenter et pour l'aider à devenir **autonome et responsable**. Par exemple, il est possible de dire à l'enfant qu'il peut décider de l'heure à laquelle il fait ses devoirs, mais qu'il doit respecter son engagement et décider entre deux moments jugés raisonnables (16 heures ou 16 h 30, avant ou après le repas). En général, l'enfant respecte son engagement pour montrer combien il est « capable » quand on le laisse décider.

Saviez-vous que...

Les jeux de société sont une valeur sûre parce qu'ils incitent les membres de la famille à prendre le temps d'être ensemble. Sur le plan des attitudes, chacun a beaucoup à apprendre pour arriver à ne pas quitter le jeu. En effet, ces jeux sont parfois très difficiles pour certains enfants ou certains parents qui tolèrent mal la frustration. Il faut apprendre à attendre son tour, à perdre, à prendre sa place au bon moment, à s'exprimer avec respect même lorsque tout ne va pas comme on le souhaite, etc. De plus, ces jeux exigent souvent une certaine concentration, des habiletés réflexives et des stratégies, sans compter toutes les connaissances qu'ils permettent parfois d'acquérir ainsi que les habiletés pédagogiques qu'ils permettent d'exercer.

Aider l'enfant à apprendre

▸ Encadrer l'enfant de façon très serrée ou de trop près n'étant pas une solution, comment l'aider ?

En lui donnant des moyens, des trucs pour apprendre, ce qu'on appelle aussi des stratégies cognitives. Une stratégie cognitive, c'est un moyen utilisé consciemment ou non pour atteindre un objectif. On peut dire également qu'il s'agit d'un « truc » ou d'une façon de faire mentalement en vue d'apprendre quelque chose. Par exemple, c'est donner un rythme à l'énumération d'une série de sept chiffres pour pouvoir retenir un numéro de téléphone que l'on compte utiliser plus tard. C'est s'imaginer en train de raconter une bonne blague à d'autres personnes au moment même où on l'entend. C'est aussi mémoriser une phrase qui a du sens dans le but de retenir, par exemple, les conjonctions qu'il faudra réciter le lendemain à l'école : « Mais où est donc Carnior ? » (conjonctions : mais, où, et, donc, car, ni, or). C'est aussi se faire des images dans sa tête, c'est se redire les mots lus ou entendus en classe, c'est faire revenir à la mémoire des gestes posés, des sensations ou des émotions vécues dans une situation antérieure et c'est surtout se parler intérieurement de ces images ou s'en construire de nouvelles à partir des mots qu'on se redit. On le constate, il s'agit d'une série de moyens qui permettent d'ouvrir les tiroirs dans lesquels sont emmagasinées et classées les connaissances, des tiroirs de mots, d'images et de sensations. De là l'importance qu'il faut accorder à cette question des stratégies cognitives ou de l'« apprendre à l'apprendre ».

▸ Les parents sont-ils en mesure d'« apprendre à apprendre » à leur enfant ?

Les parents ne peuvent pas s'attendre à ce que leur enfant, pour apprendre, procède exactement comme ils le font eux-mêmes. Par contre, ils sont en mesure de l'aider à mieux utiliser son intelligence en l'aidant à prendre conscience de ses propres façons d'apprendre, de ses « outils d'apprentissage ». Ils peuvent aussi lui suggérer d'autres moyens, d'autres stratégies. Ainsi, plus l'enfant connaît de stratégies différentes, mieux il est équipé pour résoudre des problèmes et plus il devient débrouillard et autonome sur le plan intellectuel. C'est comme si on lui offrait plusieurs cordes pour faire voler son cerf-volant ; s'il en échappe une, il en possède d'autres et se trouve rarement dépourvu. Il peut alors devenir actif mentalement et se concentrer de manière positive sur la recherche de solutions.

S'il agit comme un guide, comme « celui qui apprend à l'enfant à apprendre », le parent qui accompagne son enfant dans ses devoirs et ses leçons exerce donc une grande influence sur sa réussite scolaire et sur le plaisir qu'il retire de ses activités. Un vieux proverbe chinois exprime bien l'utilité de « l'apprendre à apprendre » :

« Celui qui donne un poisson à quelqu'un qui a faim le nourrit pour un jour. Celui qui lui enseigne à pêcher le nourrit pour toujours. »

Comment les parents peuvent-ils aider concrètement à « apprendre à apprendre » ?

Sans devenir un spécialiste de la question des stratégies cognitives, tout parent peut, à un moment ou à un autre, échanger avec l'enfant sur sa façon de faire pour apprendre un jeu, les règles d'un sport, une règle de grammaire, le fonctionnement d'un ordinateur, etc. Cet échange devrait porter sur un apprentissage qui a fait l'objet d'une réussite. Cela permet au parent et à l'enfant de prendre l'habitude de réfléchir à leur façon personnelle de mémoriser, de comprendre et de procéder. Par exemple, dans n'importe quelle situation où l'apprentissage a été facile, un parent peut demander à l'enfant comment il a fait « dans sa tête » pour retenir une méthode, pour comprendre une notion ou appliquer une règle. L'enfant en viendra, petit à petit, à observer ses moyens et, peut-être même, à mettre en œuvre des stratégies de plus en plus diversifiées.

Quelles sont les principales stratégies d'apprentissage dont l'enfant doit prendre conscience ?

Toutes les stratégies d'apprentissage s'appuient sur les systèmes de perception que chaque individu a acquis par l'intermédiaire de ses cinq sens (la vue, l'ouïe, le toucher, l'odorat, le goût) qui sont les portes d'entrée de l'information vers le cerveau. Cela étant établi, voici une présentation sommaire des principales stratégies cognitives, soit les stratégies visuelles (apprendre avec ses yeux), auditives (apprendre avec ses oreilles) et kinesthésiques (apprendre avec son corps).

Apprendre avec ses yeux, c'est un peu comme regarder à l'intérieur de sa tête pour revoir les images qu'on a perçues ou celles qu'on a construites à partir de ce qu'on a vu, lu ou entendu. L'enfant qui a de bonnes habiletés intellectuelles non verbales (notamment visuelles) a tendance à coder l'information sous forme d'images dans sa tête ; il retient mieux ce qu'il a vu. Au moment des devoirs ou des leçons, l'enfant peut revoir dans sa tête différentes images ; par exemple, l'endroit de la classe où se tenait l'enseignant lorsqu'il a expliqué une notion et ce qu'il écrivait au tableau. En reconstruisant ainsi le « film » de l'enseignement qui a eu lieu en classe, il remet en action le processus d'apprentissage et réactive celui de la pensée. L'idée à retenir est la suivante : un enfant qui apprend bien avec ses yeux a avantage à se représenter visuellement l'information à traiter, soit en écrivant, soit en dessinant ou en essayant de « voir » les images dans sa tête.

Apprendre avec ses oreilles, cela signifie que l'enfant retient mieux l'information en se rappelant ce qu'il a entendu et ce qu'on lui a expliqué plutôt que montré. Il peut être capable de réentendre le ton de la voix et la musicalité avec lesquelles la notion a été expliquée. Qu'importe la façon dont l'information a été présentée (verbalement ou non), l'enfant n'a qu'à se dire ou à réécouter dans sa tête les mots lus ou entendus.

Au moment des devoirs et des leçons, l'enfant peut tenter de réentendre l'explication donnée, soit avec le souvenir de la voix qui l'a véhiculée, soit en la redisant avec sa propre voix. Il apprend ainsi à se parler dans sa tête, ce qui constitue une des grandes forces du développement cognitif.

Apprendre avec son corps, c'est avoir besoin de manipuler concrètement, de se mettre physiquement en action ou de s'imaginer en train de le faire pour mieux comprendre. C'est se rappeler une information par le souvenir de sensations, de mouvements et d'actions, c'est-à-dire par des perceptions liées au corps, dont celles perçues par les sens du toucher, du goût et de l'odorat. Les enfants qui ont développé de telles habiletés (qu'on appelle kinesthésiques, par opposition à auditives, verbales et visuelles) sont particulièrement influencés par le climat qui règne dans la classe ou à la maison ainsi que par leurs émotions. En effet, les connaissances sont fixées dans la mémoire en étant souvent associées aux émotions vécues par l'enfant au moment où elles lui ont été transmises. Les émotions agréables ou désagréables liées aux contenus sont rappelées à la mémoire en même temps que la notion elle-même, d'où l'importance d'être attentif comme parent à ce que l'enfant « dit » avec son corps, par sa posture et ses expressions faciales, pour témoigner notamment de son état intérieur. En apprenant à observer ainsi le langage non verbal, le parent peut arriver à « lire » l'état de l'enfant et à l'encourager au besoin par des moyens qui, par exemple, le rendent plus actif dans sa démarche.

Saviez-vous que...

Tous les enfants ont avantage à combiner différentes stratégies pour bien apprendre :

- visuelles ;
- verbales ou auditives ;
- kinesthésiques.

▸ Quels sont les mécanismes que les parents ont tout intérêt à comprendre pour reconnaître les moyens que leur enfant utilise spontanément pour apprendre et ceux qu'il n'utilise pas assez ?

Pour traiter les informations perçues et représentées mentalement grâce aux stratégies décrites précédemment, tout enfant utilise des mécanismes qui sont responsables du traitement de l'information, appelés **processus cognitifs**. Il s'agit des processus **simultanés** et **séquentiels** qui travaillent généralement en complémentarité. Ce sont ces processus qui doivent devenir familiers aux parents.

▸ Qu'entend-on par processus simultanés ?

Traiter l'information de façon simultanée, c'est se donner d'abord une vue d'ensemble d'un contenu en reconstituant un ensemble à partir d'éléments isolés et mis en relation, afin de synthétiser, de résumer et de globaliser l'information. L'enfant qui privilégie le traitement simultané de l'information au détriment des processus séquentiels a tendance à négliger les détails et les étapes à suivre pour effectuer une tâche, et à sauter rapidement aux conclusions. Il procède souvent trop rapidement sans toujours accorder l'attention nécessaire aux détails et à chaque étape de la démarche.

Il importe d'aider cet enfant à prendre conscience de sa façon simultanée ou globale de procéder et l'encourager, lorsqu'il a une tâche difficile à réaliser, à se donner une vue d'ensemble, à regrouper des éléments par affinités (catégories), à partir de leurs similitudes, à faire des liens, à résumer l'information en une image ou en quelques mots, à comparer, à faire des analogies. En lecture par exemple, l'enfant a avantage à tenter d'abord d'anticiper (deviner) le sens d'un texte avant même de l'avoir lu et ce, à partir des images du livre et de connaissances déjà acquises sur le sujet. Il peut aussi être encouragé à lire d'abord le premier paragraphe du texte ainsi que le dernier afin de s'en donner une vue d'ensemble avant la lecture proprement dite. Ces moyens l'aident à être attentif au sens du texte et à compenser les erreurs de décodage qu'il peut faire en négligeant les détails. En écriture, l'enfant doit être encouragé à bien planifier dans les grandes lignes l'ensemble de sa tâche avant de commencer afin de bien en entrevoir la totalité et, ensuite, se trouver une méthode qui le mènera du point A au point B sans se perdre dans un méandre d'associations libres qui pourraient le distraire de son objectif. En mathématiques, l'enfant qui privilégie les processus simultanés a souvent l'intuition de la réponse sans pour autant parvenir à décrire la démarche utilisée pour y arriver. Ainsi, il omet parfois certains détails qui peuvent le conduire à de grossières erreurs d'attention. En règle générale, ce type d'enfant a une façon un peu brouillonne de travailler et cela mène parfois à des résultats approximatifs qui manquent de précision et de structure.

▸ Qu'entend-on à présent par processus séquentiels ?

Traiter l'information en séquences, cela signifie en scruter les éléments un à la fois et dans un ordre précis. L'enfant qui privilégie un mode de traitement séquentiel de l'information est attentif au déroulement chronologique de la tâche, analyse chaque partie du tout, l'une après l'autre, en risquant toutefois de perdre la vue d'ensemble et le sens général de la tâche. Il excelle souvent dans le « par cœur », mais il peut avoir du mal à reconnaître que tel problème doit être résolu à l'aide d'une procédure ou d'une connaissance précise qu'il a déjà acquise parce qu'il a plus de mal à faire les liens nécessaires entre les domaines d'apprentissage. « L'étapiste », celui qui procède étape par étape, se limite parfois à faire des liens entre deux éléments à la fois, c'est-à-dire entre l'élément qui précède et celui qui suit, sans garder à l'esprit le déroulement global, d'où parfois une certaine pauvreté sur le plan de la signification du savoir ainsi emmagasiné. Par contre, il sait procéder avec méthode et ne néglige aucun détail. Il est aussi en mesure de repérer les détails qui permettent de différencier deux situations similaires. Il est capable de formuler un message de façon précise, mais il est aussi généralement peu concis puisqu'il élabore son idée sans négliger aucun détail. Il exécute aussi les consignes de façon rigoureuse.

Un enfant qui procède de façon très séquentielle peut bien décoder tous les mots d'un texte sans en avoir compris l'essence même. Il ne se concentre que sur les mots ou les phrases qui demeurent toutefois isolées les unes des autres dans son esprit. Un traitement trop séquentiel de l'information n'entraîne parfois qu'une simple juxtaposition de syllabes ou de mots qui n'ont pas de signification et n'évoquent pas d'images dans la tête de l'enfant ; d'où l'absence de compréhension du texte, une perte d'intérêt et l'impossibilité de « deviner » les mots difficiles à décoder à l'aide du sens du texte.

▸ En définitive, quelle est la façon la plus efficace d'apprendre ?

On peut dire qu'un apprentissage efficace se fait par le travail complémentaire des différents processus de traitement de l'information. L'enfant qui procède de manière plus séquentielle doit donc être amené à situer la matière à apprendre dans un contexte général qui a du sens pour lui après en avoir analysé les parties avec ordre et méthode. De la même façon, l'enfant qui procède de manière plus simultanée doit être amené à bien distinguer les parties qui composent l'ensemble après s'en être fait une idée globale. À moins de présenter des déficits particuliers sur le plan du traitement de l'information, déficits qui mènent généralement à des troubles d'apprentissage, ce travail complémentaire se fait spontanément. L'importance d'un type de processus aux dépens de l'autre, et ce sans déficit comme tel, permet de reconnaître des styles cognitifs particuliers et de proposer ainsi des stratégies d'étude qui seront plus utiles selon le style cognitif identifié.

Comprenant ces mécanismes de traitement de l'information, les parents sont bien placés, au moment des devoirs et des leçons comme dans différentes situations de la vie quotidienne, pour aider l'enfant à prendre conscience de ce qui se passe dans sa tête et de ce qu'il pourrait faire pour améliorer ses habiletés d'apprentissage.

Ainsi, devant un devoir à faire ou une leçon à apprendre, il est utile de rappeler à l'enfant de tenter d'en saisir le sens (le « pourquoi » de la tâche), de tenter d'en saisir les détails (le « comment » de la tâche), de se faire des images mentales, de mettre des mots sur ces images, de s'expliquer les notions à acquérir et, au besoin, de compléter son étude en faisant appel à d'autres moyens (se déplacer, s'imaginer en action, manipuler concrètement, etc.).

Saviez-vous que...

Tous les moyens sont bons pour mémoriser dans la mesure où le travail d'évocation se fait activement et dans un but précis. Ainsi, on peut se donner des trucs verbaux pour retenir des séries de termes précis. Par exemple, pour retenir le nom des planètes de notre système solaire, on peut utiliser la phrase « **Mon Vieux, Tu M'as Jeté Sur Une Nouvelle Planète** ». Chaque mot de cette phrase commence par la première lettre de ces planètes: Mercure, Vénus, Terre, Mars, Jupiter, Saturne, Uranus, Neptune, Pluton.

Des enfants aux besoins particuliers

Face à leurs devoirs, les garçons sont-ils vraiment différents?

Sans vouloir généraliser, force est de constater que l'école et les travaux scolaires à la maison sont souvent plus difficiles pour les garçons que pour les filles, spécialement au primaire. En effet, on observe un écart de près de 20 % en lecture et en écriture entre les résultats des filles et ceux des garçons et ce, en défaveur de ces derniers.

Il existe des facteurs sociaux qui expliquent en partie cette situation. Par exemple, les garçons ont plus besoin de bouger, sont souvent moins attentifs et se soumettent moins facilement à la «position passive» inhérente à l'écart entre enseignant et apprenant. S'ajoutent à cela des facteurs neurologiques liés à la constitution du cerveau, qui ne fonctionne pas de la même façon chez un garçon et chez une fille. En effet, l'hémisphère gauche du cerveau, responsable entre autres des habiletés langagières, se développe plus rapidement chez les filles que chez les garçons. Par conséquent, celles-ci débutent l'école avec une longueur d'avance et les garçons se retrouvent d'emblée défavorisés du fait que le corps enseignant est constitué d'une grande majorité de femmes qui sont naturellement portées vers un style d'enseignement plus verbal. Plus souvent qu'autrement, les garçons sont aussi accompagnés par leurs mères plutôt que par leurs pères au cours de la période des devoirs à la maison. Ces mères, comme les enseignantes, utilisent généralement beaucoup

plus leurs propres habiletés verbales pour expliquer, ce qui « assomme » une fois de plus les garçons qui pensent et comprennent mieux avec leurs habiletés non verbales, c'est-à-dire quand on leur « montre » comment faire plutôt que quand on leur explique. Une différence entre les garçons et les filles réside dans les processus cognitifs de traitement de l'information que nous avons vus précédemment. Les filles ont généralement des habiletés d'organisation et d'analyse des détails (traitement séquentiel) souvent plus développées que les garçons qui, eux, excellent plutôt dans les habiletés de synthèse (traitement simultané) et visuospatiales. Cela explique chez ces derniers leur plus grande facilité en mathématiques. Toutefois, les évaluations des compétences des élèves du primaire et du secondaire portent généralement plus sur les détails que sur l'habileté à faire des synthèses. De plus, tout travail un peu plus complexe exige de l'enfant une bonne capacité à s'organiser, à planifier et à structurer, ce qui une fois de plus défavorise les garçons qui manquent souvent de ce type d'habiletés, en partie faute d'un dialogue intérieur suffisamment efficace pour permettre un traitement plus détaillé et rigoureux. Dans leur tête, ils pensent souvent comme ils parlent : en images. On a coutume de dire qu'une image vaut mille mots mais ici, ce sont mille mots qui sont utiles à l'analyse, à l'organisation et à la structure détaillée du discours oral, interne ou écrit. Sans les mots, le traitement de l'information est plus rapide, mais aussi plus global et plus approximatif.

▸ Comment aider les garçons à mieux s'engager au moment des travaux scolaires à la maison ?

Voici quelques moyens auxquels les parents peuvent recourir pour aider les garçons dans leurs devoirs et leurs leçons :

- Éviter de comparer les travaux des garçons et des filles ; les différences sont souvent évidentes, mais les efforts et la valeur des résultats atteints doivent être reconnus à partir de critères différenciés et propres à chacun.
- Tolérer le fait que les travaux des garçons soient moins soignés, notamment au plan de la calligraphie.
- Prévoir un temps de repos et d'activité ludique, voire motrice, entre la fin de la journée scolaire et la période des devoirs et des leçons.
- Tolérer leur besoin de bouger et de se lever à quelques reprises au cours de la période des travaux scolaires à la maison.
- Les encourager à utiliser des surligneurs, à faire des dessins et des schémas, et à inventer des exemples tirés de leurs propres expériences. Ainsi, ils assimileront mieux ce qu'ils ont à apprendre pendant l'étude.

Saviez-vous que...

Il est reconnu qu'on oublie 95 % de la matière étudiée après un mois quand on ne la révise pas régulièrement ou lorsqu'on cesse de s'y exercer.

- Les aider à se fixer des objectifs d'apprentissage et à comprendre le « pourquoi » d'une règle. Quand ils comprennent la raison d'être de certaines règles, ils acceptent mieux de s'astreindre à les appliquer.
- Favoriser chez eux l'utilisation de l'ordinateur pour les travaux scolaires ainsi que pour l'étude des leçons.
- Favoriser l'engagement des pères ou d'hommes significatifs auprès des garçons. Les travaux scolaires ne peuvent pas prendre un sens important à leurs yeux s'ils ne sont perçus que comme l'affaire des filles.

Les filles et les devoirs : est-ce toujours plus facile pour elles ?

En ce qui concerne les devoirs, les filles s'en sortent généralement mieux que les garçons. Elles tirent avantage du seul fait de présenter un style cognitif semblable à celles qui leur enseignent de même qu'à celles qui les accompagnent dans leurs devoirs. Elles sont aussi généralement plus à l'aise dans la position d'écoute en classe et à la maison lorsque des explications sont données verbalement. Leurs problèmes se situent souvent plus dans la sphère sociale où, c'est bien connu, « ça joue plus dur ». Or, cela peut saper beaucoup d'énergie et de confiance en soi, suffisamment pour que l'école devienne un cauchemar pour certaines. Toutefois, ce type de problèmes n'a pas toujours une incidence sur leur efficacité dans les devoirs et les leçons, au contraire. Elles se rabattent parfois dans ce domaine où leur compétence ne fait pas de doute et elles trouvent ainsi une valorisation suffisante pour se garder en piste. De plus, elles ont aussi à l'occasion de la difficulté à distinguer l'essentiel de l'accessoire parce que, chez elles, l'analyse de tous les détails prime sur l'esprit de synthèse. Il en est de même en lecture où la multitude des détails absorbe parfois leur attention et les empêche de bien comprendre le sens général du texte. Il est également possible qu'elles aient plus de mal à répondre à des questions dont la réponse n'est pas explicite dans le texte, mais qui peut être trouvée à partir du sens général. Dans cette perspective, plusieurs filles développent une grande dépendance envers leurs parents au moment des devoirs et des leçons. Ne comprenant pas toujours le sens des consignes plus complexes, elles demandent l'aide de ceux qui répondent parfois trop rapidement, sans réaliser le tort qu'ils causent puisque ces fillettes se retrouvent en panne lors d'un contrôle ou d'un examen où personne ne répond à leurs questions. Cela est aussi très fréquent chez les garçons qui présentent des difficultés d'apprentissage. Un autre problème guette les filles généralement douées : l'anxiété de performance. Que ce soit par pression parentale liée aux valeurs de réussite scolaire au sein de la famille ou à cause de leurs propres critères de performance s'apparentant au perfectionnisme, ces écolières qui ont déjà été premières de classe craignent souvent d'être détrônées par d'autres et de décevoir leur entourage ainsi qu'elles-mêmes. Ne se pardonnant pas facilement l'erreur, elles risquent parfois l'échec du seul fait de leur anxiété. Ces écolières, stressées par leur désir de performance, développent parfois des mécanismes obsessionnels qui alourdissent la tâche à cause de vérifications qui n'en finissent plus. Au moment des devoirs et des leçons, le malaise augmente parce qu'elles ont tendance à vouloir en faire toujours plus.

Elles veulent être prêtes pour le contrôle à venir, mais elles ne parviennent pas à atteindre ce sentiment d'avoir bien travaillé et d'être en mesure de donner leur plein rendement. Pour éviter qu'il y ait escalade, les parents doivent être aux aguets, car cela dégénère facilement et peut causer des difficultés plus graves encore qu'une simple fluctuation du rendement scolaire. Ils doivent réagir rapidement en diminuant leurs exigences ou en aidant leur fille à diminuer les siennes, puis en dédramatisant la situation avec humour tout en l'incitant à canaliser son énergie dans d'autres domaines où elle pourra satisfaire son besoin d'excellence.

▸ Comment aider les filles à mieux vivre la période des devoirs et des leçons?

Voici quelques moyens auxquels les parents peuvent recourir pour aider les filles dans leurs devoirs et leurs leçons:

- Ne pas hésiter à expliquer les notions mal comprises, tout en prenant soin d'aider l'enfant à bien saisir le sens de ce qu'elle fait grâce à des exemples puisés dans la vie quotidienne.
- Avant de répondre à ses questions sur le sens d'une consigne mal saisie, lui demander de tenter de formuler dans ses propres mots ce qu'elle en a compris même si elle rétorque qu'elle n'a RIEN compris. L'encourager à relire au besoin.
- Expliquer le «pourquoi faire» sans toutefois négliger le «comment le faire» dans toutes les situations scolaires où elle peut avoir tendance à exécuter sans nécessairement comprendre la raison qui sous-tend l'application des règles.
- L'encourager à chercher le sens de ce qu'elle fait, surtout si les apprentissages de mémorisation sont faciles pour elle et l'aident à obtenir un bon rendement. Tôt ou tard, ces notions apprises par cœur cesseront de lui être utiles si elle ne sait pas dans quel contexte les utiliser.
- Faire attention au perfectionnisme et à l'anxiété de performance qui peuvent facilement se développer chez elle. Tenter de l'amener à établir un équilibre entre les différents secteurs de sa vie en l'encourageant à développer des intérêts diversifiés aussi bien

à l'école qu'à la maison et dans sa vie sociale. Son développement social, moteur et artistique est tout aussi important pour acquérir et conserver un sentiment de compétence. Ainsi, elle aura assez confiance en elle pour atteindre la réussite.

▸ Mon enfant a beaucoup de difficulté à l'école et dans ses travaux scolaires à la maison. Comment savoir s'il a un trouble d'apprentissage ?

Sans entrer dans la définition des troubles d'apprentissage sous leurs différentes formes, il est quand même possible de relever certains signes qui vous aideront à reconnaître la présence de troubles d'apprentissage chez votre enfant.

- Il semble intelligent, mais il éprouve de grandes difficultés dans l'apprentissage de la lecture, de l'écriture ou des mathématiques.
- Il a du mal à acquérir les rudiments de la langue écrite.
- Il a du mal à comprendre les consignes et il a tendance à faire répéter souvent.
- Il a du mal à s'organiser devant une tâche à accomplir.
- Il a du mal à apprendre le nom des lettres et de certains nombres.
- Il inverse plusieurs lettres, syllabes ou chiffres ou la séquence des lettres dans les mots.
- Il a du mal à se souvenir de l'orthographe des mots.

Si vous retrouvez quelques-uns de ces signes chez votre enfant et s'ils persistent, il vous faut consulter pour en avoir le cœur net. Cette notion de persistance du problème permet de distinguer les troubles d'apprentissage de difficultés qui, par définition, ne sont que passagères. La meilleure façon de préciser le problème en cause et d'intervenir efficacement, c'est de procéder à une évaluation multidisciplinaire (médecin, psychologue, orthopédagogue, orthophoniste, audiologiste, etc.). Ce type d'évaluation ne requiert pas l'intervention de tous ces professionnels, mais de ceux qu'il est le plus pertinent d'interpeller selon les symptômes présents chez l'enfant. Par la suite, un plan d'intervention concerté pourra être mis en place autour des besoins véritables de l'enfant.

Saviez-vous que...

Pour entraîner l'enfant à contrôler son attention et sa concentration (capacité de maintenir une attention soutenue dans une tâche qui demande un effort) aussi bien dans des activités ludiques que lorsqu'il fait ses devoirs, l'enfant qui débute son primaire devrait dormir 11 à 12 heures par nuit; ce n'est qu'à la fin du primaire, soit vers l'âge de 12 ans, qu'il n'aura besoin que de 8 à 10 heures de sommeil.

▸ Quelles peuvent être les conséquences de la présence d'un trouble d'apprentissage tant sur la vie scolaire que sur le développement personnel de l'enfant ?

Les enfants qui ont des problèmes d'apprentissage à l'école sont généralement dépourvus quand arrive le moment des devoirs et des leçons à la maison. Leurs parents le sont tout autant. Ils sont démunis devant l'ampleur des difficultés de leur enfant, auquel ils accordent pourtant beaucoup de temps et d'intérêt sans que cela semble l'aider vraiment. L'enfant réussit parfois à intégrer tant bien que mal les connaissances et compétences attendues de lui, mais au prix de nombreuses heures de travaux à la maison et parfois d'une détérioration du climat familial. À la longue pourtant, l'écart se creuse inévitablement entre ce qu'il peut faire et ce qu'il doit faire à l'école. Cet enfant se doute bien que, sans ce parent devenu substitut de l'enseignant, l'échec serait encore plus grand ; il se plie donc aux cours supplémentaires reçus à la maison tandis que ses amis ainsi que ses frères et sœurs font autre chose une fois leurs travaux terminés. En somme, il doit faire preuve de plus en plus d'autonomie pour réussir à faire ce qu'il ne peut pourtant réaliser qu'avec l'aide de ses parents. Il n'est donc plus question d'autonomie ! L'étroite relation parents-enfant va à l'encontre des besoins de son développement personnel.

Que faire au cours de la période des devoirs et des leçons comme parents d'un enfant qui a un trouble d'apprentissage ?

Voici quelques pistes pour aider les parents des enfants qui ont un trouble d'apprentissage à rendre plus positive la période des devoirs et des leçons :

- Après l'évaluation du problème de l'enfant, demander aux intervenants scolaires et aux professionnels concernés comment ils conçoivent vos responsabilités auprès de votre enfant en ce qui a trait aux devoirs à faire à la maison.
- Expliquer à l'enfant le plus clairement possible ce que cela signifie d'avoir un trouble d'apprentissage et pour quelles raisons ses notes au bulletin sont faibles dans certaines matières ; il est important de lui dire qu'il n'est ni idiot ni paresseux.
- Selon le style cognitif de l'enfant et le profil de ses forces et de ses faiblesses, lui suggérer d'utiliser les stratégies avec lesquelles il est le plus à l'aise. Pour cela, le mieux consiste à consulter le professionnel qui a évalué l'enfant ou qui prend en charge sa rééducation.
- Éviter d'empiéter sur le rôle que les intervenants et les professionnels assument auprès de l'enfant. S'il est clair que ce dernier ne possède pas suffisamment de bagage pour s'acquitter de ses tâches à la maison, l'encourager à se tourner vers son enseignant ou vers la personne qui assure sa rééducation.

- Ne jamais tolérer que la période des devoirs et des leçons dépasse indûment celle qui est généralement allouée aux enfants du même âge ou du même niveau scolaire que lui.
- Refuser que l'enfant reçoive des punitions en raison de ses difficultés d'apprentissage et de leurs effets sur ses devoirs et leçons.
- Plutôt que d'allonger la période des devoirs et des leçons, en ajoutant des exercices ou des explications supplémentaires par exemple, prévoir chaque jour du temps pour partager avec l'enfant une activité ludique visant à consolider certaines habiletés liées aux apprentissages.
- Aider l'enfant au plan de l'organisation du temps et de l'espace au début de la période des devoirs et des leçons. Il est bon d'adopter des routines stables et de l'amener à utiliser des moyens concrets pour qu'il n'oublie rien.

Saviez-vous que...

Des personnes célèbres ont mené des vies fort intéressantes malgré un passé de troubles d'apprentissage. Mentionnons Albert Einstein, scientifique, Walt Disney, cinéaste, Alexander Graham Bell, inventeur du téléphone, John F. Kennedy, président des États-Unis, Auguste Rodin, sculpteur, Léonard de Vinci, artiste et architecte, George Washington, président des États-Unis.

- Prévoir un peu plus de temps pour les devoirs avec lesquels il éprouve des difficultés, tout en considérant que l'effort exigé réduit son temps de concentration. Prévoir aussi une pause avant de poursuivre avec les leçons et la lecture. Il convient de diviser les devoirs en deux périodes distinctes, l'une au retour de l'école et l'autre après le repas ou même le lendemain matin si l'horaire de la famille le permet.
- Éviter par-dessus tout de faire du trouble d'apprentissage de votre enfant le centre de votre vie. Éviter d'y mettre toute votre énergie, car il vous en faudra autant pour satisfaire adéquatement l'ensemble de ses besoins et en faire un adulte épanoui, autonome et responsable en dépit de ses difficultés scolaires.

Les difficultés que vit mon enfant autour de la période des devoirs et des leçons pourraient-elles s'expliquer par un déficit de l'attention ou de l'hyperactivité ?

Soulignons d'abord que le médecin de l'enfant est le seul à pouvoir poser un diagnostic de trouble de déficit de l'attention, avec ou sans hyperactivité, tout en ayant souvent recours à des évaluations complémentaires faites par différents professionnels des milieux scolaires et médicaux (psychologues, orthopédagogues, neuropsychologues, audiologistes, orthophonistes).

Si l'enfant a un tel trouble, il y a de fortes chances qu'il donne assez de fil à retordre à ses parents pour que la période des devoirs et des leçons devienne un véritable combat et un cauchemar pour tout le monde. De façon générale, les parents doivent composer avec un enfant qui revient fatigué de sa journée et qui est aux prises avec les mêmes difficultés d'attention et de concentration que celles pour lesquelles ils ont demandé une consultation médicale. Voici quelques signes qui aideront à reconnaître ce type de problème chez l'enfant et qui devraient amener les parents à consulter:

- L'enfant termine rarement ce qu'il commence et, face à une tâche, il a du mal à s'organiser.
- Il oublie ou perd régulièrement ses effets personnels.
- Il déteste les activités qui lui demandent un effort soutenu.
- Il est facilement distrait et n'écoute pas quand on lui parle.
- Il bouge beaucoup, est impulsif et bruyant.
- Il reste difficilement en place au cours d'une même activité ou d'un même repas (comportements observables chez les enfants hyperactifs).
- Il présentait déjà ces symptômes avant l'âge de 7 ans et ceux-ci sont observables depuis plus de six mois, autant à la maison qu'à l'école (ou en garderie s'il s'agit d'un enfant d'âge préscolaire).
- L'intensité, la fréquence et la durée des symptômes permettent de préciser le diagnostic.

Soulignons que le déficit de l'attention apparaît généralement tôt, autour de l'âge de 3 ans, mais qu'il n'est souvent diagnostiqué qu'à l'entrée à l'école. L'enfant hyperactif présente souvent des difficultés d'apprentissage scolaire de même que des problèmes d'adaptation à cause de son impulsivité (il agit souvent avant de penser) et de son besoin de bouger, ce qui dérange beaucoup en classe comme à la maison. Celui qui présente un déficit de l'attention sans hyperactivité n'est souvent repéré que beaucoup plus tard, faute de comportements dérangeants.

Comment aider l'enfant qui présente un déficit de l'attention avec ou sans hyperactivité à faire ses devoirs ?

Il y a des moyens d'ordre général qui sont à la portée des parents pour les aider à accompagner leur enfant dans leurs devoirs et leçons. En voici quelques-uns :

- Laisser l'enfant se reposer après l'école avant qu'il s'engage dans les devoirs et les leçons.
- Proposer à l'enfant de diviser la période des devoirs et des leçons en deux moments distincts, interrompus par une pause ou encore par une bonne nuit de sommeil.
- L'entraîner à différentes stratégies d'apprentissage, en mettant la priorité sur celles qui privilégient les modes visuel et kinesthésique.
- L'aider à s'organiser dans le temps (horaires fixes) et dans l'espace (endroit calme, exempt de trop de stimuli) avant de se mettre à la tâche. La mise en place de certaines routines ne peut être que rassurante. De plus, une véritable discipline doit être mise en place afin d'atteindre les buts fixés au préalable en ce qui concerne les devoirs et les leçons.
- L'encourager à se centrer sur une seule chose à la fois et à faire taire les messages intérieurs qui le distraient de sa tâche. L'aider à prendre conscience de ces messages qui minent sa confiance (« Je ne suis

pas capable », « Je n'y arriverai pas ») en lui suggérant de les remplacer par d'autres comme « J'essaie », « Je fais du mieux que je peux » et « Si je ne comprends vraiment pas, je demanderai de l'aide ou des explications supplémentaires demain ».

- L'encourager à être le plus actif possible dans sa démarche d'apprentissage, particulièrement dans l'étude des leçons qu'il risque de bâcler s'il met beaucoup d'énergie à combattre son besoin de se mettre en action.
- L'encourager à se déplacer physiquement dans sa tête lorsqu'il a envie de bouger et qu'il ne le peut pas (stratégies de visualisation). Il peut également apprendre ses tables de multiplication en marchant et en les répétant à haute voix au même rythme que ses pas, etc.
- L'encourager à « se parler à lui-même » tout haut ou à voix basse, s'il ne peut pas encore le faire « intérieurement ».
- Offrir des renforcements positifs à l'enfant qui sait s'acquitter de ses travaux sans trop dépendre du parent et éviter à tout prix le piège des renforcements négatifs. L'attention portée aux comportements inadéquats entraîne souvent l'effet contraire à celui désiré alors que l'utilisation de renforcements positifs pour encourager les comportements appropriés s'avère plus rentable.
- Cibler des objectifs réalistes et renforcer tous les succès, si minimes soient-ils, pour aider l'enfant à retrouver progressivement la confiance perdue au fil du temps.

- Éviter de prolonger indûment la période de devoirs au terme de ce qui était prévu pour ses travaux scolaires (celle que son professeur estime suffisante) ou pendant la fin de semaine. Lui proposer plutôt une activité différente dans laquelle il aura à utiliser des habiletés similaires à celles requises pour apprendre : jeux de construction, de société, de cartes, de logique, jeux de mots et activités de bricolage se prêtent bien à l'exercice des habiletés d'attention.
- L'aider à adopter une hygiène de vie afin d'être disponible pour apprendre. Cela nécessite de bonnes nuits de sommeil, de 10 à 12 heures par nuit selon l'âge de l'enfant (huit heures par nuit à partir de 11-12 ans), une alimentation saine (sans excès de sucres), et certaines restrictions quant aux heures d'écoute de la télévision. Les pédiatres recommandent généralement un maximum d'une heure par jour de télévision, de jeux vidéos ou d'ordinateur.
- Encourager l'enfant à faire des activités physiques afin de l'aider à dépenser son énergie tout en aidant son cerveau à s'oxygéner ; n'oublions pas la célèbre expression du poète latin Juvénal : « un esprit sain dans un corps sain ».

Saviez-vous que ?

On estime à quatre fois l'âge de l'enfant le nombre de minutes où il peut normalement rester concentré sur une même activité. Pour un enfant de 8 ans, il s'agit donc de quelque 30 minutes.

▸ À quoi peut-on s'attendre comme aide de la part de l'école si mon enfant présente des difficultés d'apprentissage ?

Les élèves en difficulté devraient recevoir à l'école l'aide nécessaire pour apprendre et s'adapter le mieux possible. Plus l'enfant est atteint et plus il a droit à des services adaptés. Selon la nature du problème présenté par l'enfant, il peut avoir besoin des services d'un psychologue, d'un orthopédagogue, d'un psychoéducateur, d'un orthophoniste ou d'un éducateur spécialisé. L'intervention mise en place à l'école devrait pouvoir aider les parents à savoir quoi faire pour mieux l'accompagner dans les travaux qu'il doit effectuer à la maison. Par ailleurs, les parents ne doivent pas se gêner ni se culpabiliser d'avoir recours à des ressources extérieures pour aider leur enfant à mieux vivre sa vie scolaire.

En résumé, on peut dire que, de façon générale ou devant les difficultés scolaires d'un enfant, chacun doit faire sa part pour tenter d'améliorer ce qui peut l'être. Les parents ont la responsabilité d'établir une discipline et des routines stables à la maison. Ils ont aussi la responsabilité de garder une «juste distance» avec leur enfant autour de sa scolarité. L'école ne pourra jouer son rôle qu'avec l'assentiment, la confiance et le respect des parents qui, de cette façon, délèguent une partie de leur autorité parentale à l'école. Les enseignants ont aussi une lourde tâche à assumer ; comme les parents, ils ont la responsabilité de voir à ce que chacun se sente respecté dans son rôle et d'interpeller d'autres instances au besoin. Il leur appartient de rechercher, avec les parents et avec l'enfant, des pistes de solution sans confrontation inutile. L'enfant a certainement le plus grand rôle à jouer, mais il ne peut le faire que s'il est épaulé par ses parents et par l'enseignant qui travaillent ensemble pour l'aider à trouver une place intéressante et stimulante à l'école. Le travail de chacun est essentiel pour établir un rapport école-enfant-famille harmonieux et propice à la réussite scolaire et sociale de l'enfant.

Saviez-vous que...

Des études précisent que l'on retient:

- 10 % de ce qu'on lit;
- 20 % de ce qu'on entend (et que l'on se redit);
- 30 % de ce l'on voit (et que l'on revoit mentalement);
- 50 % de ce qu'on lit, voit ET entend;
- 80 % de ce qu'on est en mesure d'expliquer à autrui;
- et 90 % de ce que l'on écrit, dessine, fabrique, après avoir bien regardé et entendu, traduit dans nos propres mots, expliqué à autrui, bref, de ce que l'on apprend quand on s'implique activement dans une démarche d'apprentissage.

Des questions fréquemment posées

Son enseignant étant reconnu pour donner beaucoup de devoirs, mon enfant passe souvent de deux à trois heures par soir à les faire. Comment sortir de cette impasse ?

La première chose à faire est d'en discuter avec l'enseignant. Après une journée d'école, il est excessif de demander plus d'une heure par soir de travail à des enfants du primaire. Au-delà de cette limite, la qualité du travail en souffre. Il peut arriver que l'enfant ait plus de travaux qu'à l'habitude durant une période de l'année, mais cela doit rester une exception. Si l'enseignant prétexte que le programme est trop chargé et qu'il ne sera pas couvert sans cette mesure, c'est le signe qu'il a lui-même un problème d'organisation du temps. Les écoliers n'ont pas à l'assumer. Si l'enseignant refuse de chercher d'autres solutions, vous trouverez sûrement de l'aide pour faire valoir votre point de vue en recourant aux autres parents ou aux instances supérieures.

L'enseignante demande régulièrement à mon fils de terminer le soir, à la maison, ce qu'il n'a pas fini dans la journée, en plus de ses devoirs. Est-ce normal ?

Certains enfants perdent tellement de temps en classe que les enseignants utilisent cette mesure pour les placer devant les conséquences de leur passivité. Occasionnellement, si c'est cette optique qui prévaut, cette mesure peut avoir sa raison d'être et permettre de remédier au problème. Encore faut-il connaître la cause de ces retards dans les travaux qui doivent être faits à l'école. L'enseignante, qui a certainement un avis sur la question, saura vous dire s'il y a lieu de consulter pour mieux comprendre ce qui se passe ou s'il ne s'agit là que d'une attitude qui pourrait être modifiée par une telle mesure, à la condition que l'enfant soit soutenu. Cette situation devrait donc être temporaire et occasionnelle. Si elle persiste et si l'enfant n'arrive pas à modifier son attitude, il faudra trouver des réponses plus claires que celles données par l'enseignante.

Si les devoirs sont donnés le vendredi pour toute la semaine à venir, est-ce qu'il est bon que mon enfant les fasse tous au cours du week-end pour s'en débarrasser ?

Si tel est son choix, la réponse est oui, car ce type d'organisation allège la période des devoirs et leçons au cours de la semaine. Par contre, il s'agit d'être vigilant quant à l'étude des leçons qui, elles, doivent être révisées quand même au cours de la semaine afin d'être bien mémorisées pour un contrôle à venir.

Nous revenons du travail à 18 heures et la course commence : le repas à préparer, les devoirs de la plus jeune qui est en première année, les bains, etc. Comment trouver du temps pour aider mon enfant qui est en quatrième année et qui réclame constamment ma présence ?

En principe, à cet âge-là, l'enfant n'a pas besoin de la présence de ses parents pour faire ses travaux. Vous avez vos responsabilités et il a les siennes ; aidez-le à bien comprendre cet état de fait et à devenir plus autonome au plan scolaire. Cela vous permettra de partager un moment de loisir avec lui hors du terrain des devoirs et des leçons lorsque ceux-ci seront terminés. Faites comprendre à votre enfant qu'en assumant lui-même ses responsabilités, il vous permet de vaquer à vos occupations et d'être ainsi plus disponible avant qu'il aille dormir. Ne faites pas que promettre ; offrez-lui vraiment un moment bien à lui afin d'éviter que son attitude passive face à ses responsabilités scolaires ne serve à obtenir votre attention.

▸ Mon fils a des difficultés d'apprentissage qui compliquent la période de devoirs et de leçons. Ma fille, qui elle a toujours bien réussi à l'école, passe régulièrement des commentaires désobligeants sur son frère, ce qui le décourage et engendre de grandes tensions à la maison. Que puis-je faire ?

Vous ne devez pas tolérer cette situation. Prenez le temps de discuter avec votre fille et faites-lui voir les différences individuelles qui existent entre elle et son frère, comme entre chaque personne. Faites aussi valoir le fait qu'elle nuit grandement à son frère avec de tels commentaires, même si ce n'est pas là son but. En prenant le temps de dire clairement les choses et de les expliquer, on évite souvent les affrontements. Enfin, faites connaître à votre fille les limites que vous lui imposez à ce sujet et dites-lui qu'en cas de récidive, elle sera pénalisée. Pour aider vos deux enfants à éviter ce type de relation, offrez-leur si possible des lieux de travail distincts où chacun fera ses travaux loin du regard de l'autre.

Mon enfant omet très souvent de noter ce qu'il a à faire, si bien qu'on ne sait pas toujours quels sont ses devoirs et ses leçons. Comment réagir ?

Il vous faut discuter de cette question avec son enseignant qui l'aidera à trouver des moyens efficaces de noter ce qu'il a à faire. Il pourrait s'agir d'un petit système d'abréviation ou de le jumeler à un camarade de classe pour l'aider à remplir son agenda comme il se doit. Il existe nombre de formules pratiques pour que les enfants aient en main le programme des devoirs et des leçons clairement inscrit chaque soir à leur agenda ; nul doute que l'enseignant en connaît quelques-unes.

Tout seul... pas capable !

Martin est un élève compétent et autonome. Il ne fait pas d'activités parascolaires afin de pouvoir consacrer tout son temps aux travaux scolaires. Bien qu'il ait 9 ans, sa mère reste à côté de lui tout au long de la période des devoirs, et son père lui fait étudier ses leçons après le souper. Le jeudi soir, il est fin prêt pour le contrôle du lendemain. Il a bien écrit tous ses mots de vocabulaire et il connaît bien ses tables de multiplication. Pourtant, il échoue son contrôle. Que se passe-t-il donc ?

Les notions qu'il savait la veille semblent être restées à la maison. Martin a pour habitude de penser « à deux ». Il a besoin de quelqu'un à ses côtés pour lui dire quoi faire, quand le faire et comment le faire. Lorsqu'il arrive en classe, il est seul parmi tant d'autres et il ne comprend pas les consignes parce que personne n'est là pour les lui expliquer, ni pour le rassurer. Il ne sait pas faire revenir dans sa tête les mots étudiés la veille. Il n'ose pas demander à l'enseignante de ralentir le rythme de la dictée. Il n'a pas appris à demander puisque, à la maison, on sait ce dont il a besoin avant même qu'il le demande. Mais l'enseignante ne devine pas qu'il a manqué quelques mots; il se met donc à écrire au son, sans réfléchir à sa leçon de la veille, afin d'être certain d'arriver à la fin en même temps que les autres. Réviser? Il n'est pas assez autonome pour le faire. On a toujours corrigé ses erreurs pour lui plutôt que de lui suggérer de se relire, de vérifier... lui-même.

Le manque d'autonomie autour des apprentissages scolaires (trop d'aide à la maison, la dépendance envers l'adulte qui organise, planifie, révise et corrige) empêche l'enfant d'acquérir le sentiment de compétence nécessaire à la réussite scolaire. Il panique facilement devant un contrôle parce qu'il se sent incapable de penser et de réussir seul. Et plus la famille aura consacré de temps et des efforts au travail à la maison, plus l'enjeu sera important. Les parents bienveillants seront doublement déçus du résultat médiocre de l'enfant et celui-ci le sait très bien: ce qu'il rapporte à la maison, c'est en fait «leur» note... Les parents mesurent parfois la valeur de leur compétence parentale en grande partie à l'aide qu'ils apportent aux devoirs de l'enfant et ils considèrent donc son échec comme le leur. L'enfant voudrait rapporter des «cadeaux», mais il ne parvient qu'à un fiasco en partie causé par le stress de devoir penser seul...

‣ Mon enfant déteste l'école et il n'y apprend pas grand-chose. En fin de première année, il ne sait pas encore réciter l'alphabet. Je pense sérieusement à le scolariser à la maison. Est-ce une solution ?

Scolariser son enfant à la maison peut sembler être une solution pour certains parents qui se sentent capables d'assumer cette tâche jusqu'au bout, mais il faut savoir que cela sort littéralement l'enfant de la vie collective. Cela l'éloigne de ses copains qui sont fort importants pour construire son sentiment d'appartenance et dénote une certaine insensibilité aux besoins de socialisation de l'enfant. Avec cette solution qui est souvent envisagée en réaction à l'imperfection du système scolaire, on oublie que celui-ci apporte beaucoup à l'enfant malgré ses limites. De plus, l'ampleur de la tâche que représente la scolarisation à la maison est souvent minimisée. Les parents peuvent penser qu'ils sont capables de faire mieux que l'école, mais ce n'est pas là la principale question à se poser. Les insatisfactions des parents par rapport à l'école sont souvent fondées, car celle-ci est imparfaite. Mais rien n'est parfait, ni l'école ni les parents ou la société dans laquelle l'enfant aura à vivre et à s'épanouir tôt ou tard. Les parents devront-ils protéger indéfiniment leur enfant contre certaines aberrations de tous les milieux dans lesquels il aura forcément à évoluer ? À moins de circonstances exceptionnelles, la solution au mécontentement des parents face à l'école ne nous semble pas résider dans l'évitement.

Devant une difficulté, un de mes enfants reste bloqué et attend mon aide sans rien tenter d'autre pour se débrouiller seul. Avec trois enfants d'âge scolaire, j'ai du mal à répondre aux demandes de chacun. Comment l'encourager à devenir plus autonome ?

Il faut proposer à cet enfant de nouvelles sources d'aide: un ami à qui téléphoner pour demander des explications, un frère aîné qui peut à l'occasion lui donner un coup de main... Il est également possible de lui demander de garder ses questions jusqu'à ce que vous soyez disponible ; de cette façon, il ne perdra pas de temps à vous attendre.

Mon fils a des difficultés depuis son entrée à l'école. Cette année, il change d'école. Est-ce une bonne idée de prévenir sa nouvelle enseignante avant le début de l'année et de lui remettre aussi les rapports d'évaluation qui le concernent ?

Il vaudrait mieux que vous laissiez à la nouvelle enseignante le temps de se faire sa propre idée. En même temps, votre enfant aura la chance de se faire une nouvelle image, au moins pendant les premiers jours dans sa nouvelle école. Les enseignants voient parfois ces interventions proactives des parents comme un manque de confiance à leur égard. Toutefois, si les problèmes de votre fils sont tels que son enseignante a besoin d'information pour débuter l'année du bon pied, faites-lui part dans les grandes lignes de la situation tout en lui faisant connaître vos disponibilités pour une rencontre ultérieure. Dites-lui également que les rapports que vous avez en main sont à sa disposition dès qu'elle en sentira le besoin.

▸ J'ai laissé mon enfant retourner à l'école avec des devoirs inachevés afin d'éviter que la maison ne devienne un champ de bataille et pour qu'il assume les conséquences de son « laisser-aller ». Qu'est-ce que l'enseignant va penser de moi comme parent ?

Nombreux sont les parents qui ont peur que les enseignants portent un jugement sur leurs compétences parentales. Votre responsabilité consiste à aider votre enfant à s'organiser, à l'encourager à faire du mieux qu'il peut, à vous intéresser à ce qu'il apprend et vit à l'école, parfois même à lui donner quelques trucs pour qu'il s'y prenne mieux ; mais en aucune façon vous ne pouvez faire ses devoirs à sa place. Il faut se garder de l'acharnement dont certains parents font preuve en voulant trop se mêler des travaux de leur enfant ; cela a très souvent des répercussions sérieuses sur leurs relations et empêche les enfants de se prendre en main, tout en contribuant à perpétuer des problèmes existants. Il peut donc s'avérer judicieux d'informer l'enseignant de votre façon de faire et de le rassurer quant à votre intérêt pour la scolarité de votre enfant. Finalement, ce que vous faites, c'est de remettre à l'enfant sa responsabilité tout en l'épaulant du mieux que vous pouvez afin qu'il utilise tous les moyens que l'école lui procure. S'il ne se prend pas en main sur ce plan, qu'il en assume les conséquences ! L'école, c'est son affaire ! Vous devez agir de votre mieux pour l'accompagner, sans pour autant vous faire prendre en otage. Cela ne ferait que nuire à sa réussite et à vos relations familiales.

▸ Ma fille de 12 ans étudie très peu à la maison, prétextant qu'elle a tout le temps qu'il faut à l'école pour le faire. Devrais-je l'obliger à réviser ?

Beaucoup de jeunes ne font pas leurs devoirs à la maison, certains professeurs donnant du temps aux élèves à l'école pour étudier. Il est possible que ce soit le cas dans la classe de votre fille et que cette période lui suffise pour terminer son travail scolaire. Elle fait probablement ce qui lui est demandé et vous pouvez sans doute lui faire confiance. De façon générale, les parents ne parviennent pas à obliger leur ado à étudier s'il ne veut pas. En effet, les adolescents s'opposent là où on est le plus exigeant envers eux, et la maison risque de se transformer en champ de bataille au moment des devoirs et des leçons. Si vous ne pouvez pas forcer votre fille à étudier, vous pouvez, en revanche, l'amener à réfléchir. Demandez-lui si elle connaît bien ses dates d'examen, dans quelle matière elle est la plus faible, comment elle réagirait si on lui offrait de l'aider à réviser 15 minutes par jour ? Faites-lui prendre conscience qu'en étudiant un peu à la maison, elle serait en mesure de vérifier l'état de ses connaissances et de s'assurer qu'elle a bien compris le programme. Vous devez lui faire des suggestions et non lui imposer des façons de faire pour éviter qu'elle se braque. L'idée est de l'inciter à travailler, mais la décision doit reposer sur sa propre réflexion et non sur votre exigence. Au cours de l'année, à la lecture du bulletin, vous pourrez vérifier ensemble si sa méthode de travail est la bonne. En cas de notes insuffisantes ou d'échec dans une matière, vous pourrez lui montrer que, contrairement à son impression, le temps réservé pour ses études à l'école n'est pas assez long ou productif. À ce moment-là, vous pourrez lui proposer de consacrer une demi-heure chaque soir au travail scolaire. Laissez-la choisir elle-même le moment qui lui convient le mieux, avant ou après le repas. De votre côté, vous imposez la durée, mais c'est votre fille qui décide du contenu de cette demi-heure. Elle pourra aussi bien étudier ses leçons qu'avancer une recherche ou lire. L'essentiel est de réserver du temps pour l'école, sans que cela ne devienne une source de conflit à la maison.

Saviez-vous que...

Rester ni trop près, ni trop loin ; voilà l'équilibre vers lequel il faut tendre comme parents, dans le domaine scolaire comme partout ailleurs, quand il est question de permettre à un enfant de grandir dans un climat propice à son plein épanouissement...

La tâche des parents est complémentaire à celle de l'enseignant. Toutefois, ils ne doivent en aucun cas se substituer à lui. L'écolier a autant besoin de bons enseignants que de parents capables de l'épauler et d'enrichir sa démarche en la prolongeant dans la vie quotidienne.

Des réponses à des questions d'enfants

À quoi ça sert de faire mes devoirs si le professeur ne les corrige même pas !

L'enfant qui fait ses devoirs avec le sentiment de faire du « remplissage de cahier » perd non seulement sa motivation mais le sens de ce qu'il fait, d'où ce type de réaction somme toute fort courante. En effet, les gestes que l'on pose dans la vie, enfant comme adulte, doivent avoir un sens. Il ne faut donc pas s'étonner de cette réplique d'un élève à qui l'on demande de faire des devoirs qui ne seront jamais pris en compte, corrigés ou même simplement regardés par le professeur.

Toutefois, l'enseignant qui donne des devoirs à faire aux enfants a habituellement un objectif en tête même s'il ne les corrige pas systématiquement. Il s'agit généralement de faire pratiquer à l'enfant les notions qui ont été vues en classe. Les parents et éventuellement l'enseignant lui-même peuvent ainsi voir ce qui est intégré par l'enfant et ce qui ne l'est pas. Il serait donc important que le professeur explique à ses élèves à quoi servent les devoirs, qu'il donne un sens à cette tâche même s'il ne les corrige pas. Le jeune est libre d'adhérer ou non à cette explication. Il est bien certain que les enfants n'ont pas tous la même motivation ni la même autonomie, et conséquemment le même sens des responsabilités. Ainsi, celui qui trouve sa seule motivation scolaire dans l'évitement des sanctions n'investira pas dans des devoirs qui, faits ou non, n'entraînent pas de sanctions puisqu'ils passent inaperçus. Dans ce cas, il importe de discuter de la question avec le professeur pour qu'il communique clairement à l'enfant ses attentes et la logique qui sous-tend l'absence de correction systématique. Il appartient à l'enseignant d'amener l'enfant à s'engager sur le terrain des travaux scolaires à la maison. Les parents qui tenteraient de le faire en l'absence de balises claires données par l'enseignant peuvent bien réagir et tenter de convaincre l'enfant, mais ils risquent fort d'être confrontés à autant de résistance que de tensions inutiles.

Pourquoi m'obliger à lire si je n'aime pas ça ?

De nombreux enfants n'ont pas d'intérêt pour la lecture quand ils sont à l'école primaire et certains n'en développent jamais. Évidemment, celui qui vit dans une famille où la lecture est une activité régulière a plus de chances de devenir lui aussi un lecteur « intéressé ». Mais que fait-on quand on constate l'absence d'intérêt chez un enfant qui est exposé à des modèles parentaux qui lisent quand même un peu ?

Celui qui fait des efforts pour lire, mais qui ne comprend pas ce qu'il lit, n'éprouvera aucun plaisir à cette activité. Celui à qui on a toujours demandé de lire à voix haute n'a pas d'intérêt à prendre un livre pour le simple plaisir de lire. Dans son cas, la lecture risque de n'être qu'un objet de contrôle dans sa relation avec ses parents qui, bien intentionnés, exigeront beaucoup et le reprendront à chaque erreur. Conséquence de cette attitude parentale : un frein à l'acquisition d'une vitesse de lecture suffisamment rapide pour permettre l'accès au sens du texte, seule raison valable de lire ! Obliger l'enfant à lire si ce n'est que pour l'aider à acquérir de bonnes habiletés de décodage n'a pas de sens pour lui et il se détournera généralement de cette activité dès qu'il n'y aura personne pour l'écouter et lui poser des questions sur le sens de sa lecture. L'objectif des parents qui agissent ainsi est louable, mais le moyen utilisé a plus de chances d'éloigner l'enfant de la lecture que de l'aider à s'y intéresser.

À la question de l'enfant: « Pourquoi m'obliger à lire si je n'aime pas ça ? », il faudrait d'abord chercher à comprendre pourquoi il n'aime pas ça. Difficultés de lecture ? Difficultés à se concentrer ? Activité devenue objet de contrôle ? Activité peu investie par les autres membres de la famille ? Par la suite, il est clair qu'on peut tenter de nommer à l'enfant toutes les bonnes raisons de faire de la lecture une activité quasi quotidienne (amélioration de l'orthographe, activité reposante et plaisante, habiletés de lecture constamment améliorées par l'exercice, etc.). Toutefois, il nous semble encore plus judicieux de chercher à amener l'enfant à découvrir par lui-même un certain intérêt pour la lecture. Parmi les façons de faire que nous pouvons suggérer, notons que le seul fait d'en faire un moment privilégié au moment du coucher peut suffire à intéresser l'enfant à la lecture. Celui qui gagne un quart d'heure ou une demi-heure avant qu'on ferme les lumières s'il lit tranquillement dans son lit et dans sa tête trouvera peut-être un plus grand intérêt à la lecture que s'il doit couper sur d'autres activités qu'il juge plus plaisantes pour le moment. Aussi, en le laissant choisir ses propres lectures, en librairie ou à la bibliothèque, l'enfant a plus de chances de se laisser prendre par un livre qui l'intéresse pour vrai. Les revues et bandes dessinées sont tout aussi valables pour l'enfant qui y découvre un certain intérêt de lecture.

▸ Pourquoi ne puis-je pas écrire au son si tout le monde comprend quand même ce que j'écris ?

Les enfants qui éprouvent des difficultés d'apprentissage peuvent avoir tendance à écrire au son parce qu'ils ne parviennent pas à mémoriser l'orthographe usuelle des mots. La langue de Molière est difficile, justement parce qu'elle contient de nombreuses particularités orthographiques. Écrire au son peut parfois mener à des glissements de sens importants lorsqu'on s'adresse à quelqu'un par écrit.

Par ailleurs, il faut bien comprendre que l'écriture est un ensemble de conventions auxquelles il faut se soumettre pour communiquer et se faire comprendre par écrit. Cela vaut également pour les jeunes qui clavardent (*chattent*) entre eux sur Internet ; ils ont élaboré un langage spécifique qui a ses règles, même s'il est plus phonétique et plus simple à apprendre pour plusieurs. Pour en revenir au français, on peut se plaindre de sa complexité, mais il n'empêche que c'est l'outil dont on se sert toute la vie. On constate que cette langue est de plus en plus bafouée, que les fautes d'orthographe sont plus ou moins prises en compte selon le milieu dans lequel elles sont commises. Ceci étant dit, il existe une grande différence entre la présence de fautes isolées dans un texte (relevant souvent de l'inattention ou d'une méconnaissance des règles de base) et le choix délibéré de se soustraire aux conventions dictées par l'écriture ; ce qui à court terme amènerait nécessairement la perte d'une langue qui contribue grandement à l'identité de tout un peuple. En somme, l'enfant doit comprendre qu'écrire implique la connaissance et le respect d'un code admis de tous et ce, dans l'intérêt de tous mais aussi du maintien de la langue.

Pourquoi mon ami doit-il prendre du Ritalin® s'il n'est même pas « tannant » ?

Plusieurs personnes pensent encore que le Ritalin® est donné aux enfants turbulents ou « tannants » pour les empêcher de l'être trop en classe. Il est important d'expliquer aux enfants ce qui en est du Ritalin® – même si cela ne les concerne pas directement – parce que tôt ou tard ils seront confrontés à des enfants qui en prennent et qui généralement ont bien peur d'être jugés par leurs pairs. En effet, les enfants entre eux portent parfois des jugements très sévères sur les enfants qui prennent du Ritalin® parce qu'ils sont généralement mal informés. Ils ont de la difficulté à considérer que la situation est similaire à celle de l'enfant qui porte des lunettes parce qu'il voit mal. Il faut donc leur expliquer que le Ritalin®, comme le Concerta® ou le Biphantin® par exemple (il existe plusieurs médicaments psychostimulants qui améliorent les habiletés d'attention chez les enfants), est un médicament donné aux enfants qui présentent des difficultés d'attention avec ou sans hyperactivité. Ces enfants qui sont perçus comme « tannants » sont bien souvent des enfants hyperactifs. Ils sont plus impulsifs et excitables que la moyenne des jeunes de leur âge, ce qui explique qu'ils se retrouvent souvent mal pris à l'école, tant socialement que sur le plan des apprentissages. Par contre, ceux qui présentent un déficit de l'attention sans toutefois être hyperactifs ne sont pas perçus comme étant turbulents, bien au contraire. Ils sont souvent dans la lune, un peu dans leur monde et facilement distraits. C'est pour cette raison qu'il peut être recommandé de leur donner un psychostimulant afin de les aider à améliorer leurs habiletés d'attention. Parce qu'ils sont tranquilles et qu'ils ont tendance à se faire oublier dans une classe, ils sont souvent repérés beaucoup plus tard que ceux qui sont hyperactifs.

La médication donnée aux enfants qui présentent un déficit de l'attention avec ou sans hyperactivité a souvent mauvaise presse en raison d'abus qui ont été largement médiatisés au cours des dernières années. Il faut savoir que ce type de médication peut vraiment faire toute la différence chez un enfant qui se retrouve en échec scolaire et isolé, voire rejeté de son groupe de pairs. Par ailleurs, l'enfant qui se sent jugé ou qui craint d'être victime de railleries de la part de ses pairs hésite ou refuse souvent de tenter cette solution qui lui apparaît pire que la problématique pour laquelle on lui propose une telle mesure; d'où l'importance de bien informer les jeunes sur cette question.

Et finalement...

Thomas demande à son enseignante en début d'année scolaire: « Ça vous arrive de punir un enfant pour quelque chose qu'il n'a pas fait? ». Et la prof de répondre: « Mais non, jamais ! ! » Thomas: « Ouf! C'est parce que je n'ai pas fait mes devoirs ».

Pour en savoir plus

BÉDARD, Jean-Luc, Gilles GAGNON, Luc LACROIX et Fernand PELLERIN. *Les styles d'apprentissage : modèle d'apprentissage et d'intervention psychopédagogique.* Victoriaville : Psychocognition BGLP, 2003.

BÉLIVEAU, Marie-Claude. *J'ai mal à l'école : troubles affectifs et difficultés scolaires.* Montréal : Éditions de l'Hôpital Sainte-Justine, 2002. 168 p. (Collection de l'Hôpital Sainte-Justine pour les parents)

BÉLIVEAU, Marie-Claude. *Au retour de l'école – La place des parents dans l'apprentissage scolaire.* Montréal : Éditions de l'Hôpital Sainte-Justine, 2000, 2004. 280 p. (Collection de l'Hôpital Sainte-Justine pour les parents)

BOURQUE, Jean et Robert DARCHE. *Les devoirs et les leçons à la maison : mission possible !* Laval : Services Éducatifs sur la Réussite Scolaire (S.E.R.S.), 2000. 24 p. (Cahier de stratégies à l'intention des parents)

DARVEAU, Paul et Rolland VIAU. *La motivation des enfants : le rôle des parents.* Saint-Laurent (Québec) : ERPI, 1997. 132 p. (L'école en mouvement)

DE LA GARANDERIE, Antoine et Daniel ARQUIÉ. *Réussir ça s'apprend : un guide pour les parents.* Paris : Bayard Éditions, 1999. 198 p.

DESAULNIERS, Diane. *Des devoirs sans problèmes : guide pratique à l'intention des parents.* Vanier (Ontario) : Centre franco-ontarien de ressources pédagogiques, 1997. 74 p.

Duclos, Germain. *Guider mon enfant dans sa vie scolaire.* Montréal: Éditions de l'Hôpital Sainte-Justine, 2006. 280 p. (Collection de l'Hôpital Sainte-Justine pour les parents)

Meirieu, Philippe. *Les devoirs à la maison : parents, enfants, enseignants, pour en finir avec ce casse-tête.* Paris : Syros, 2000. 140 p. (École et société)

Dans la même collection

Que savoir sur l'estime de soi de mon enfant?
Germain Duclos

Que savoir sur la sexualité de mon enfant?
Frédérique Saint-Pierre et Marie-France Viau

Que savoir sur mon ado?
Céline Boisvert

Que savoir sur le développement de mon enfant?
Francine Ferland

Le diabète chez l'enfant
Louise Geoffroy et Monique Gonthier

Le jeu chez l'enfant
Francine Ferland

Sources mixtes
Groupe de produits issu de forêts bien gérées, de sources contrôlées et de bois ou fibres recyclés
www.fsc.org Cert no. SGS-COC-003885
© 1996 Forest Stewardship Council

Achevé d'imprimer en février 2009
sur les presses de l'imprimerie
LithoChic inc.
à Québec

Membre de l'Association nationale des éditeurs de livres

ASSOCIATION
NATIONALE
DES ÉDITEURS
DE LIVRES